# La tele de Fred

## Texto e ilustraciones de Clive Dobson

SCHOLASTIC INC.
New York   Toronto   London   Auckland   Sydney

*Fred's TV/La tele de Fred*

Copyright © 1990 by Clive Dobson.
Spanish translation copyright © 1993 by Scholastic Inc.
All rights reserved. Published by Scholastic Inc., 730 Broadway, New York, NY 10003, by arrangement with Firefly Books Ltd.
Designed by DUO Strategy and Design Inc.
Printed in the U.S.A.
ISBN 0-590-47095-7

2 3 4 5 6 7 8 9 10     08     99 98 97

Este libro está dedicado
a todas las especies...
de pájaros y de seres humanos.

Fred se sentó frente al televisor con comida
suficiente como para todo el fin de semana.
Tenía una lata de refresco de colores brillantes,
seis galletitas negras rebosantes de crema blanca,
un paquete de espumosas gomas color púrpura
y una enorme pelota de chicle llena de grumos.

De vez en cuando, sus compañeros de la escuela iban a sentarse con él frente a la pantalla brillante. No hablaban ni jugaban mucho. Sólo se sentaban allí, embobados.

Un día, los padres de Fred dijeron que ya era demasiado. Decidieron que podría ver televisión sólo una hora todos los días... ¡ni un minuto más! Pero cuando sus padres estaban en el trabajo, Fred volvió a sentarse frente a la tele hora tras hora, programa tras programa.

El papá de Fred se enojó.

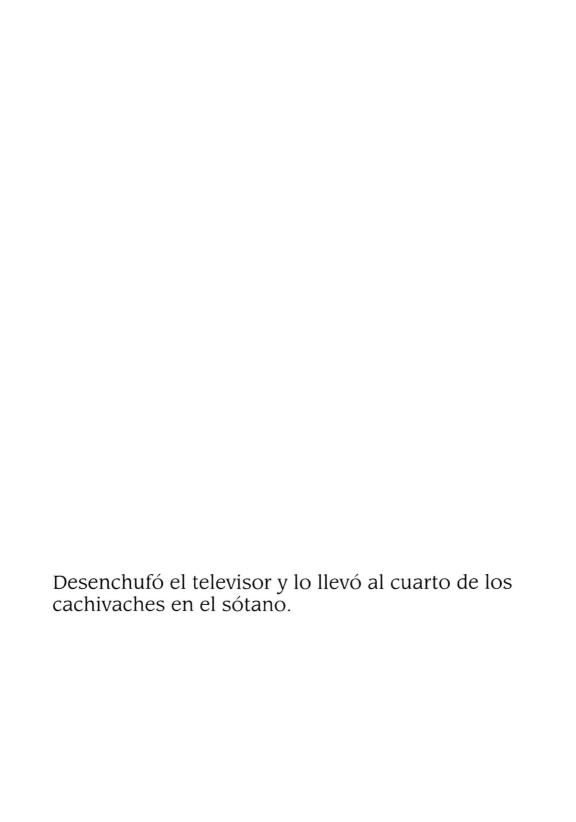

Desenchufó el televisor y lo llevó al cuarto de los cachivaches en el sótano.

Varios días después, Fred no apareció a la hora de cenar. Sus padres lo encontraron hecho un ovillo entre unas cajas de cartón, viendo la tele.

El papá de Fred se puso furioso. Lo único que se le ocurrió hacer fue arrastrar el televisor afuera, al patio de atrás. No fue muy buena idea.

Esa noche llovió.

Por la mañana, Fred bajó a ver la tele. Entonces recordó dónde estaba. Salió corriendo por la puerta de atrás con un cable de extensión en la mano.

Enchufó el televisor y lo encendió. ¡BANG! De la parte de atrás del aparato salieron nubes de humo blanco. No había imagen, de modo que Fred lo apagó.

La semana siguiente Fred casi no estuvo en su casa. Se quedaba en casa de sus amigos viendo la tele hasta que lo echaban. Fred rogó y suplicó a su mamá y a su papá que mandaran a arreglar el televisor.

Hasta que un día llegó un técnico de televisores. Se sorprendió al ver el aparato en el patio. Le dijo a Fred que sería caro arreglarlo y se llevó la parte interior a su taller de reparaciones.

Fred se sentó allí a comerse una tostada, mirando con tristeza la caja vacía del televisor. Antes de terminar su tostada, un mirlo muy negro y muy flaco aterrizó encima de la caja y lo miró con cautela.

El pájaro echó a volar cuando Fred le ofreció pan.
"Voy a poner estas migas dentro del televisor, donde
no se mojen —pensó Fred—. Por si vuelve; parece
muy hambriento".

El mirlo volvió ese día cuando Fred estaba en la escuela. Si no hubiera nevado un poco ese día, Fred no hubiera visto las huellas de las patitas sobre el televisor. Se asombró mucho.

Miró dentro de la caja. Las migas de pan habían desaparecido.

"Puede que regrese otra vez", pensó Fred. Corrió a la cocina a buscar más pan. Después de esperar pacientemente durante media hora, comenzó a sentir frío y entró en la casa para cenar.

Antes de acostarse, miró por última vez por la ventana de su cuarto, para ver si su hambriento amigo había regresado.

Estaba nevando otra vez y el televisor se veía raro afuera, en el patio. El pan todavía estaba donde él lo había dejado.

Mientras se dormía, Fred se preguntó si los pájaros encontrarían comida con tanta nieve.

La luz de la mañana de invierno llegó lentamente.
Afuera, la espesa nieve amortiguaba los usuales
ruidos del tráfico. Por la ventana, Fred oyó los
ruidos del patio. Encima del televisor había dos
mirlos y dentro de la caja tres más. Se habían
comido todo el pan y pedían más.

Fred corrió a la cocina, agarró un pan entero
y se precipitó por la puerta de atrás hacia el patio
nevado. Los mirlos se asustaron por el brusco
movimiento y volaron a los cables del teléfono.

A Fred se le metió la nieve en las botas y se le
congelaron los tobillos. Rápidamente rompió
el pan en pedazos y corrió adentro para observar.
Los cinco mirlos volvieron, y con ellos dos gorriones
y una paloma.

Fred los estuvo observando hasta que su papá bajó las escaleras para preparar el desayuno. Su papá bajó de un estante un frasco de harina de maíz y se lo dio a Fred. Sonrió y le señaló la puerta.

Para mediados del invierno, muchas clases de pájaros iban a buscar comida al patio todos los días. Hasta una pareja de cardenales visitaba el televisor de Fred en su búsqueda diaria de alimento.

Todas las mañanas los pájaros carboneros
despiertan a Fred pidiéndole semillas de girasol.

El papá de Fred ya no le grita más. Hasta compró
un televisor a color nuevo para toda la familia.
A veces bromea y le pregunta a Fred, sonriendo:
—¿Todavía estás mirando ese viejo televisor?

De vez en cuando Fred mira el televisor nuevo, pero
sólo cuando su vieja tele del patio se queda silenciosa
por la noche.

Sobre Clive Dobson
Clive nació en 1949 en Winnipeg, Manitoba, Canadá. De niño vivió en el campo, pero ahora vive en Toronto con su esposa y sus dos hijos. Clive crea ilustraciones para periódicos y revistas. Exhibió sus obras en la Art Gallery de Hamilton, Ontario, y escribió *Feeding Wild Birds in Winter.*